Corinne Vandelet

La véritable histoire de Diego, le jeune mousse de Christophe Colomb

bayard jeunesse

La véritable histoire de Diego a été écrite par Corinne Vandelet
et illustrée par Philippe Munch.
Direction d'ouvrage : Pascale Bouchié.
Maquette : Natacha Kotlarevsky.
Texte des pages documentaires : Corinne Vandelet.
Illustrations : pages 6, 17, 24, 35, 39 : Nancy Peña ; pages 10-11 et 1er rabat de couverture :
Thierry Christmann ; pages 20-21 : James Prunier ; pages 44-45 : Emmanuelle Étienne.

La collection « Les romans-doc Histoire »
a été conçue en partenariat avec le magazine *Images Doc.*
Ce mensuel est édité par Bayard Jeunesse.

18 rue Barbès, 92120 Montrouge
ISBN : 979-10-363-0446-0
Dépôt légal : septembre 2018
Deuxième édition : septembre 2018

Loi n°49-956 du 16 juillet 1949 sur les publications destinées à la jeunesse.
Imprimé en France par Pollina s.a., 85400 Luçon - 85858.

CHAPiTRE 1

À LA TAVERNE DU PORT

– Qu'attends-tu, Diego, pour servir ces messieurs ? s'impatiente Pedro.

– J'y vais, père.

À la taverne de Pedro le Borgne, trois hommes viennent de s'attabler. Les frères Pinzón, capitaines bien connus du port de Palos*, font face à un étranger aux cheveux presque blancs, au teint pâle et à la mine réjouie.

* *Sur l'océan Atlantique, au sud de l'Espagne.*

– Bonjour, messieurs, lance Diego, qu'est-ce que je vous sers ?

La taverne est encore vide à cette heure. Diego a nettoyé les tables et récuré le sol. Sa petite sœur, Luisa, a lavé les verres et les cruchons, sans se plaindre. Diego a 12 ans et il s'active dans la taverne de leur père depuis qu'il sait marcher, enfin presque…

– Apporte-nous une cruche de ce bon vin de Xérès, s'exclame l'étranger, nous allons boire à notre grand voyage !

Diego sert à boire aux trois hommes sans perdre une miette de leur conversation.

– Longue vie à vous, Christophe Colomb ! s'égosille Vicente Pinzón en levant son verre.

– Oui, à la santé de l'amiral de la mer Océane*, réplique son frère.

– À notre fabuleuse aventure ! trinque l'étranger Colomb. Vous allez m'accompagner avec vos caravelles ; comme la reine Isabelle, vous me faites confiance. Et vous ne le regretterez pas. Nous allons explorer une nouvelle

** Mer Océane : à l'époque de Colomb, nom donné à l'océan Atlantique.*

route vers les Indes, en naviguant droit vers l'ouest. Pour la grandeur de l'Espagne !

– Pour la grandeur de l'Espagne ! reprennent en chœur les frères Pinzón.

Diego a l'oreille qui traîne, comme toujours. Chaque soir, il se faufile entre les tablées de marins venus boire et se raconter des histoires de pirates, de sirènes et de poulpes géants. Et, quand son père lui accorde un peu de repos, il file sur le port pour admirer les bateaux.

suite page 7

LE TEMPS DES EXPLORATIONS

À la fin du xve siècle, l'Europe voit surgir des navigateurs qui se lancent dans de folles expéditions. L'Espagne et le Portugal se partagent l'exploration des océans.

La pointe sud de l'Afrique

Bartolomeu Dias part de Lisbonne, au Portugal, en 1487, à la recherche d'une voie maritime vers les richesses des Indes. Il longe les côtes africaines jusqu'au cap de Bonne-Espérance. C'est le premier navigateur européen à dépasser la pointe sud de l'Afrique. Mais il n'atteindra pas les Indes lors de ce voyage.

L'Amérique sans le savoir

Soutenu par les rois d'Espagne, Christophe Colomb, lui aussi déterminé à découvrir une route maritime vers les Indes, entame son premier voyage vers l'ouest en 1492.

Les indes, par les eaux de l'est

En 1497, le roi du Portugal charge Vasco de Gama d'ouvrir la route maritime des Indes. Sur les pas de Dias, le navigateur contourne le cap de Bonne-Espérance et continue jusqu'à Calicut. Mission accomplie.

Le Nouveau Monde

Pour le compte du roi d'Espagne, Amerigo Vespucci suit les traces de Christophe Colomb et entreprend, entre 1499 et 1504, plusieurs voyages vers l'ouest. À la différence de Colomb, Vespucci comprend qu'il a atteint un Nouveau Monde. En 1507, c'est donc son prénom qui inspirera le nom de ces nouvelles terres : America.

Premier tour du monde

Le Portugais Magellan, au service de l'Espagne, longe la côte sud-américaine en 1520, jusqu'au détroit qui porte aujourd'hui son nom. Il passe un mois à trouver le chemin vers un océan aux eaux si calmes qu'il le baptise « Pacifique ». Lui-même est tué aux Philippines, mais une partie de son expédition atteint les Indes en 1521, par l'ouest, comme en rêvait Colomb. Puis, largement décimée, l'expédition rejoint l'Europe par le cap de Bonne-Espérance, accomplissant ainsi le premier tour du monde.

Ce matin-là, c'est Colomb qu'il admire. Et l'amiral l'a remarqué :

– Tu t'appelles Diego ?

– Oui, messire Colomb.

– Ah, tu as déjà retenu mon nom, et moi le tien. Tu portes le même nom que mon fils aimé. J'ai dû le confier au monastère de la Rabida. Les moines vont s'occuper de son éducation et je reviendrai le chercher quand je serai riche et célèbre. Après ce voyage.

– Emmenez-moi avec vous, je saurai me rendre utile, ose le garçon.

L'amiral hésite quand Vicente Pinzón s'écrie :

– Un mousse* de plus, c'est toujours bon à prendre, ventre-saint-gris ! Eh bien, mon garçon, si ton père est d'accord, va préparer ton baluchon !

Pedro le Borgne n'y trouve rien à redire. « Après tout, une bouche de moins à nourrir, c'est un avantage, marmonne-t-il derrière le comptoir. Les Pinzón sont de sacrés navigateurs, voilà une bonne occasion pour Diego d'apprendre le métier de marin… »

C'est ainsi que Diego est engagé comme mousse sur la

* *Jeune marin en apprentissage.*

Santa Maria, le bateau de Christophe Colomb.

Luisa ne voit pas la nouvelle du même œil :

– Diego, j'ai peur pour toi. Tu pars vers l'inconnu. Traverser la mer Océane, c'est pire qu'aller en enfer…

– Mais non, petite sœur, c'est une chance, au contraire…

– Une chance ?! Et les tempêtes, et les monstres qui peuplent les mers ? sanglote Luisa.

Diego voudrait ne pas lui faire de peine, mais, depuis qu'il sait marcher, enfin presque, il n'a qu'un rêve : naviguer vers le lointain, sortir de cette taverne pour respirer le grand air et l'aventure.

Quelle agitation, le lendemain matin, sur le port de Palos ! Malgré la chaleur de l'été, les matelots s'activent en vue du départ. On vérifie les voiles et on embarque les dernières provisions : tonneaux de viande et de poisson séchés, barriques d'eau et de vin, sacs de légumes secs et de biscuits. Diego aide à charger les vivres dans les cales.

– Oh, moussaillon, prends garde !

Diego a trébuché sur un cordage et a failli rouler sous le tonneau.

suite page 12

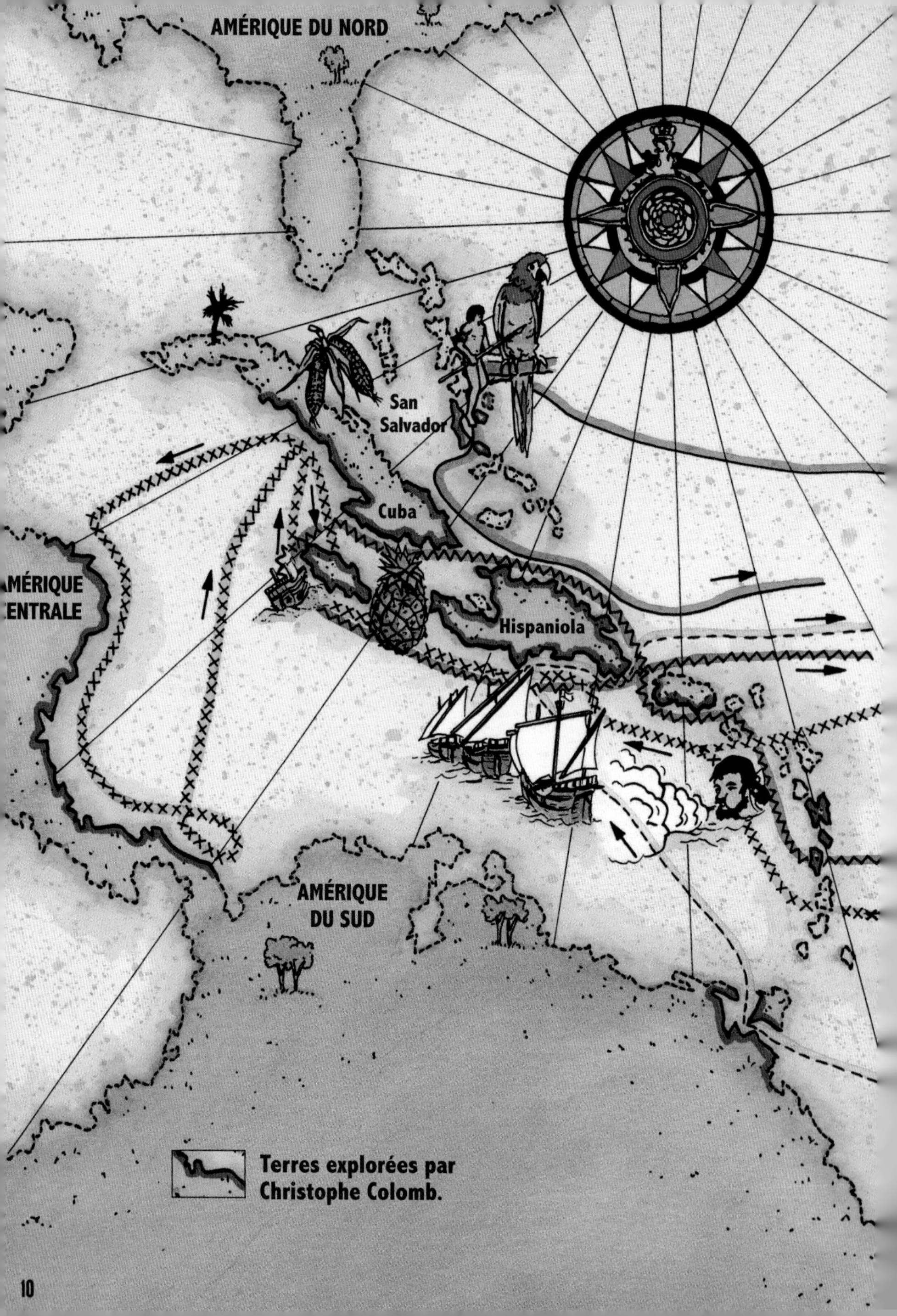
AMÉRIQUE DU NORD
San Salvador
Cuba
Hispaniola
AMÉRIQUE CENTRALE
AMÉRIQUE DU SUD
Terres explorées par Christophe Colomb.

LES QUATRE VOYAGES DE COLOMB

Au cours de ses quatre voyages, Colomb a poursuivi son idée fixe : atteindre les Indes par l'ouest.

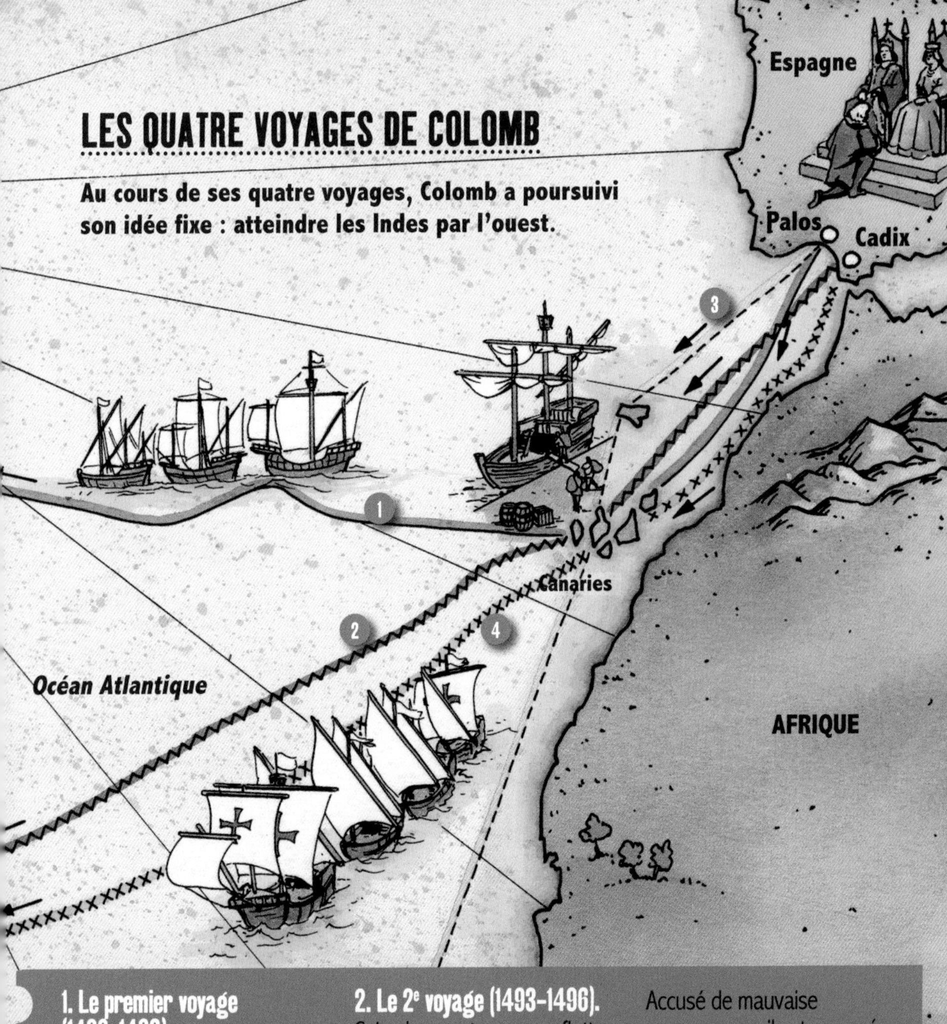

1. Le premier voyage (1492-1493).
Colomb part avec trois navires et 90 marins. Le 12 octobre, il accoste sur une île qu'il nomme San Salvador où il découvre les « Indiens ». Dans la grande île d'Hispaniola, il laisse 39 hommes dans un fort et rentre en Espagne.

2. Le 2e voyage (1493-1496).
Colomb repart avec une flotte de 17 caravelles. Il retrouve le fort détruit par les Indiens. Il explore la côte sud de Cuba.

3. Le 3e voyage (1498-1500).
Il découvre les côtes d'Amérique du Sud, mais ne comprend toujours pas qu'il a trouvé un continent. Accusé de mauvaise gouvernance, il est renvoyé prisonnier en Espagne.

4. Le 4e voyage (1502-1504).
On le laisse repartir, mais uniquement comme explorateur. Plus question de gouvernance. Il aborde cette fois-ci les côtes de l'Amérique centrale.

– Merci… Heu, je suis Diego, le nouveau mousse.

– Rodrigo, répond le marin en lui tendant sa grosse paluche. T'es épais comme une ablette, mon garçon, va falloir grossir un peu ! Tiens, voici Miguel, le mousse de l'Amiral. Plus costaud qu'toi, pas vrai ? Faut dire qu'il a 16 ans déjà…

Diego esquisse un sourire, mais Miguel passe son chemin sans même le regarder.

CHAPITRE 2

SUR LA *SANTA MARIA*

À l'aube du 3 août 1492, un prêtre bénit les trois navires, les trois capitaines et leurs équipages, formés chacun d'une trentaine d'hommes. Pas un bruit dans les rangs. Tête baissée, chacun semble se recueillir. Diego jette un œil discret du côté de Colomb. Il le voit serrer un livre de prières contre son cœur, le regard flottant au large, un léger sourire aux lèvres : ça y est, il part.

Oui, le grand départ a sonné, il est 8 heures.

– Levez l'ancre ! ordonnent les capitaines à l'unisson.

Une heure plus tard, la *Pinta*, la *Niña* et la *Santa Maria* avancent fièrement, leurs voiles gonflées par le vent, cap à l'ouest. Après une escale aux îles Canaries, la vie à bord s'organise, chacun est à son poste. Diego aide à hisser les voiles ou à enrouler les cordages, mais sa principale mission, c'est de laver le pont.

Ce matin, il le brosse avec force. Ça lui rappelle la

taverne, mais, là, il est au grand air. Il ralentit soudain l'allure pour mieux entendre Rodrigo bavarder avec le maître-coq* de la *Santa Maria*.

– Tu as remarqué, Rodrigo, lui dit-il, on a perdu de vue la dernière des îles Canaries…

– Eh oui, répond Rodrigo.

Diego lève le nez : c'est vrai, plus aucune terre à l'horizon, juste l'immensité de la mer.

* *Maître-coq : cuisinier à bord d'un navire.*

– Y en a qui se lamentent déjà, ricane le cuisinier, ils ont peur de ne plus revoir la terre.

– Toi, non ? interroge Rodrigo.

– Pinzón m'a promis la fortune de l'autre côté de l'océan. Là où on va, les maisons sont recouvertes de tuiles d'or, les gens sont vêtus de soie, les terres regorgent d'épices… C'est ça qu'il m'a dit.

Puis d'un pas sautillant il retourne à ses fourneaux, les yeux brillants d'envie.

Diego ne se plaint pas, même si les marins le rudoient un peu. Il paraît que c'est la coutume avec les mousses. Heureusement que le vieux Rodrigo l'a pris sous son aile. Bien sûr, le jeune garçon aimerait se rapprocher de Miguel. Mais le mousse de l'Amiral a l'air si fier !

Un matin, alors que Miguel passe près de lui, la tête haute, Diego tente un petit échange. Rodrigo, le voyant faire, s'éloigne discrètement. Quand, un peu plus tard, il risque une oreille de leur côté, c'est surtout la voix de Miguel qu'il entend. Diego l'écoute, la bouche ouverte, comme s'il buvait ses paroles.

– Eh bien, je m'occupe de la cabine de l'Amiral, de

suite page 18

LES INSTRUMENTS DE NAVIGATION

Le monde connu

En 1492, les Européens connaissent bien les contours de l'Europe, de la Méditerranée et de la mer Noire. Ils ont une idée assez précise de la côte sud de l'Asie grâce aux navigateurs arabes. Ils viennent de découvrir la côte ouest de l'Afrique jusqu'au cap de Bonne-Espérance. La Chine et l'immensité sibérienne sont uniquement connues par le voyage de Marco Polo. Tout le reste est *terra incognita*, des « terres inconnues ».

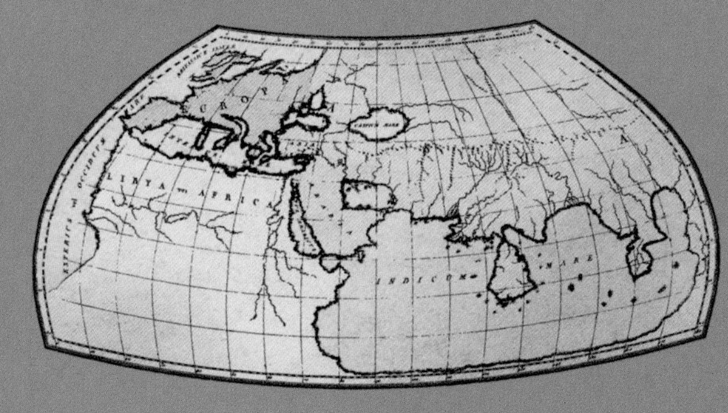

L'astrolabe

Inventé par les Grecs de l'Antiquité, c'est un appareil destiné à calculer l'angle entre l'horizon et des astres connus. Des tables de calcul permettent ensuite de déterminer la position du navire par rapport à l'équateur. C'est ce qu'on appelle la « latitude ».

La boussole

Importée en Occident par les navigateurs arabes, elle se diffuse chez les Européens. Sa fonction ? Repérer les quatre points cardinaux. La boussole permet aux navigateurs d'établir une cartographie de plus en plus précise.

Le portulan

C'est une carte marine indiquant le dessin des côtes, les ports, les baies, et les distances entre les principaux points. En 1492, les portulans qui représentent les contours du monde connu, c'est-à-dire les côtes de l'Europe, du sud de la Chine et de l'Afrique occidentale, sont assez précis.

Le sablier et le loch

Le sablier permet de calculer l'écoulement du temps. Le loch est une corde à nœuds qui sert à calculer la vitesse approximative du navire. Ces deux mesures permettent d'évaluer la distance parcourue.

La sonde

C'est une corde lestée de poids qui sert à mesurer la profondeur de la mer, ce qui est bien utile à connaître quand on approche de côtes inconnues.

ses vêtements, se vante Miguel. C'est moi qui fais briller sa boussole. Il me laisse souvent regarder la carte qu'il déroule sur la grande table…

– Tu sais lire, alors ? demande Diego, très impressionné.

– Heu, non, mais j'ai accès à tout ce qui est important.

– Quelle chance tu as, Miguel ! s'extasie Diego. Mousse de Christophe Colomb, c'est mieux que tout.

– Mouais, modère Miguel, ce n'est qu'un capitaine comme les autres.

Diego s'étonne que Miguel n'ait pas plus d'admiration pour son maître. Un homme qui sait lire une carte, étudier le ciel, les vents et les courants, ce n'est pas n'importe qui !

« Les vents nous conduiront jusqu'aux terres des Indes, là où le soleil se couche », a promis Colomb. Jusqu'à présent, des vents réguliers et un temps radieux ont favorisé l'expédition. Mais certains membres de l'équipage craignent qu'il n'y ait pas de vents contraires pour rentrer en Espagne. D'autres ont peur que les vivres viennent à manquer. Des marins perdent patience. Nous voici fin septembre, et toujours pas de terre en vue !

– L'autre jour, j'ai vu un paille-en-queue, tente de les

rassurer Colomb, cet oiseau ne s'éloigne jamais de la terre à plus de vingt-cinq lieues, car il ne dort jamais en mer.

Le soir même, Diego surprend une conversation qui ressemble bien à un complot. Fluet comme il est, un mât suffit à le cacher.

– Balivernes que tout cela ! crache un marin entre ses dents. Ses signes d'espoir, moi j'n'y crois plus !

suite page 22

4
3
2
1
7

LES « CARAVELLES »

Invention portugaise du xve siècle, la caravelle est un vaisseau de petite taille, le vaisseau des découvertes. Mais, contrairement à ce qu'on a coutume de dire, la *Santa Maria* n'en était pas une, c'était une nef, un navire de commerce.

1. La *Santa Maria* mesure 26 mètres. Plus lourde et moins maniable qu'une caravelle, elle permet un chargement plus important. C'est le navire amiral de Colomb.

2. Le château arrière surélevé de la *Santa Maria* contient la cabine de Colomb, le seul à bénéficier de ce confort. L'équipage dort sur le pont.

3. Deux des trois mâts sont équipés de voiles carrées, ornées d'une grande croix, symbole d'un ordre militaire et religieux.

4. Le pavillon porte les armoiries du roi d'Espagne.

5. La *Pinta* est une caravelle. Comme la *Niña*, elle est plus petite mais plus rapide que la *Santa Maria*.

6. La *Niña* est une caravelle aux voiles latines, c'est-à-dire triangulaires. La *Niña* devient le bateau préféré de Colomb dès le retour du premier voyage et le restera durant les deux suivants.

7. Dans la cale des navires, de la viande et du poisson séchés, des biscuits et des légumes secs, des barriques d'eau, de vin, de vinaigre composent la cargaison.

– Moi non plus, gronde un autre, beaucoup de savants ont désapprouvé les idées d'cet étranger de Colomb, à c'qu'il paraît !

– C'est vrai, rétorque un troisième, y a que not' reine Isabelle qu'a accepté de financer ce voyage vers l'enfer. Peut-être bien pour se débarrasser de Colomb. Et de nous, par la même occasion.

– Qu'est-ce qu'elle en a à faire, que nos carcasses nourrissent les poissons ? reprend le meneur. Vaudrait mieux jeter l'Amiral par-dessus bord et faire demi-tour. J'en connais sur la *Niña* et sur la *Pinta* qu'on n'aurait pas de mal à convaincre.

Diego reconnaît avec effroi Miguel parmi les conspirateurs. Même s'il n'a rien dit, il est des leurs. Soudain, Miguel contourne le mât et tombe nez à nez avec Diego qui, surpris, détale…

CHAPiTRE 3

TERRE EN VUE

Le lendemain, Miguel lance à Diego :

– Tu penses que je suis un traître. Mais ton Colomb nous fait prendre tous les risques pour sa seule petite gloire. Et, s'il échoue à gagner les Indes, il préfère mourir ! Moi pas, tu comprends ?

Diego reste muet. Miguel se met soudain à pleurer.

– On va tous périr, loin de Palos, sanglote-t-il. Après

suite page 25

MONSTRES ET COMPAGNIE

Les marins, au retour de leurs navigations, racontent leurs rencontres effrayantes avec des animaux inconnus, créant ainsi un bestiaire de monstres et autres dragons. Pas aussi imaginaires qu'il y paraît pourtant…

La sirène

Dans l'Antiquité, les marins grecs s'attachaient au mât de leur navire ou se bouchaient les oreilles pour ne pas être tentés de rejoindre les sirènes aux chants envoûtants. Il s'agissait probablement de phoques méditerranéens. « Elles ne sont pas si belles qu'on les dépeint », écrit Colomb dans son journal de bord, après en avoir vu trois sauter hors de l'eau, aux Antilles. C'était vraisemblablement des lamantins aux mamelles ressemblant à des seins de femme.

Le serpent de mer

Gigantesque, le serpent de mer s'enroulait autour des navires et dévorait les équipages, a-t-on raconté. À diverses époques, des témoignages concordent pour décrire des animaux marins inconnus de grande taille… Personne n'a jamais pu prouver leur existence.

La baleine

Les baleines ont longtemps épouvanté les marins par leur taille gigantesque, leurs sauts prodigieux, leurs bruyants rejets d'eau et leurs terrifiants coups de queue qui peuvent briser d'un coup le plus gros des canots.

La licorne de mer

Comparé à la licorne des légendes médiévales, à cause de la longue corne torsadée qu'il porte sur l'avant, le narval était considéré comme un monstre marin, capable de percer la coque des navires.

Le kraken

De ses tentacules, le kraken enserrait les navires et les entraînait dans les profondeurs. Apparu dans des légendes nordiques du XIIe siècle, on en décrit encore un spécimen au XVIIIe siècle, « les bras plus puissants que les mâts des plus grands navires ». Sans doute s'agit-il du calmar géant, animal bien réel, pouvant atteindre 22 mètres de long.

l'océan, c'est l'enfer. On est perdus.

Diego, ému par la peur et le désespoir de Miguel, le prend par l'épaule et lui dit avec douceur :

– Ne fais pas de bêtises. S'il te plaît, patiente encore… Trois jours, trois petits jours. Si au bout de ces trois jours rien ne se passe, on avisera avec les autres…

Miguel, un peu apaisé, promet d'attendre. Diego ne lui avoue pas que lui aussi commence à perdre foi en Colomb. Même les parties de dés ne le distraient plus. Il scrute l'horizon à s'en brûler les yeux. Mais pas le moindre petit morceau de terre en vue. Il pense à Luisa, qui avait peut-être raison de le mettre en garde. Il n'a pas rencontré de monstre, ça non, mais si c'était une mort lente qui les attendait, lui et les autres… Son courage l'empêche pourtant de céder à la panique.

Rodrigo a flairé le malaise. Ce soir-là, au soleil couchant, il lui lance :

– Grimpe en haut du mât, petit.

Diego s'exécute sans joie. Pourtant, le poste de vigie, il adore s'y hisser quand on le lui permet.

– Que vois-tu là-haut ? demande Rodrigo.

– Je vois l'océan infini, crie Diego. Et l'horizon au loin, comme une ligne qui sépare l'eau du ciel. Rien de plus.

– Cette ligne, elle est droite ?

– Ben oui, enfin non, pas tout à fait, répond Diego. Elle est légèrement bombée.

Il fronce les sourcils, et demande :

– Et pourquoi l'horizon n'est pas plat ?

Il redescend à toute allure pour mieux entendre l'explication du vieux loup de mer.

– Parce que la Terre est ronde, vois-tu.

– Mais alors, s'effraie le mousse, l'océan doit se déverser quelque part ?

– Écoute-moi : si la Terre est ronde, ça veut dire qu'on peut atteindre les Indes des deux côtés. Par l'est, à pied, comme Marco Polo* l'a fait. Ou bien par l'ouest, en bateau, comme Colomb l'a prévu. C'est sa volonté et celle de Dieu.

Cette nuit-là, à la proue de la *Niña*, le cri d'un marin retentit :

– Terre, terre en vue !

* *Marco Polo : explorateur vénitien du XIIIe siècle.*

Tous se précipitent contre le bastingage de la caravelle et devinent dans la nuit claire les contours d'une île, distante d'une centaine de brasses. Ils se jettent à genoux, remerciant Dieu, avant de se mettre à chanter, à pleurer, mais de joie cette fois. Diego et Miguel dansent sur le pont, Rodrigo sourit.

– Carguez les voiles et jetez l'ancre ! lance Colomb, avant de regagner sa cabine, sans doute pour écrire dans son journal de bord la grande nouvelle.

Impossible de se rendormir, on attend l'aube pour accoster enfin au pays de l'or et des épices ! On est le 12 octobre 1492. Diego pense à sa sœur, elle lui manque aussi dans les moments de joie.

Les hommes sont impatients de débarquer sur l'île, bien visible maintenant dans l'aube bleue qui se lève. Miguel sort d'une malle un costume magnifique, que l'Amiral revêt pour l'occasion. Il veut être présentable pour poser le pied à terre.

Les capitaines et les marins les plus gradés abordent en chaloupe. Diego et Miguel ne savent pas nager, mais ils s'accrochent à l'une des barques. À bout de forces, ils foulent enfin le sable blanc. Colomb est en train de déployer la bannière royale. Il plante l'étendard à la croix

verte et aux initiales des rois d'Espagne en prononçant ces mots :

– De par la volonté de nos souverains, je suis vice-roi des Indes pour la gloire de l'Espagne. Je baptise cette île « San Salvador ».

Diego s'émerveille de ce qu'il voit, les grands arbres à ramures, à fleurs énormes. L'air embaume, des oiseaux aux couleurs éclatantes volent d'arbre en arbre en poussant de drôles de cris. Comme tout cela est beau ! Les marins s'agenouillent devant Colomb pour le remercier. Ainsi, il avait raison…

CHAPITRE 4

CHEZ LES INDIENS DES ÎLES

Soudain, derrière le rideau épais de la végétation, les branchages tremblent et découvrent une trentaine d'hommes nus, à la peau cuivrée. De chaque côté, on se regarde, stupéfaits.

– Des Indiens ! murmure Diego, effrayé.

Colomb avait prévu la rencontre avec un autre peuple, d'ailleurs il a fait embarquer de petits cadeaux à offrir en signe de paix. Mais il n'imaginait pas ce peuple des Indes si… dépouillé.

Un jeune matelot porte la main à sa ceinture pour dégainer son couteau, mais le regard que lui jette Colomb l'arrête net dans son geste. Les Indiens s'approchent en silence, sourire aux lèvres. Ils sont superbes avec leurs cheveux noirs et lisses et leurs peintures sur le corps.

Sur un signe de l'Amiral, Luis, l'interprète*, s'avance. Quelle langue peuvent-ils bien parler ? Il tente quelques mots en latin. Aucune réaction. Il essaie l'hébreu. Pas de réponse. Les hommes nus ne comprennent pas davantage l'espagnol ou l'arabe, mais ils rient franchement aux gesticulations de Luis. Ils semblent se demander : « D'où viennent ces êtres étranges ? De la mer ou du ciel ? »

Puis ils s'avancent tout près des marins et touchent leurs visages, leurs vêtements, leurs épées, comme pour vérifier qu'ils sont bien réels. Eux ne portent que de simples petits bijoux en or, qu'ils troquent volontiers contre des cadeaux de pacotille : des colliers de perles de verre, des grelots, des morceaux de faïence…

**Interprète : personne chargée de traduire une langue dans une autre.*

Les échanges vont bon train et les plus cupides des Espagnols rient sous cape. « Ça va être facile de s'accaparer les richesses d'un peuple aussi docile », pensent-ils.

L'accueil pacifique enhardit les marins, ils se sentent vite à l'aise. On se sourit, on rit, on essaie de se comprendre par gestes, on mime des questions pour obtenir des renseignements :

– Où trouvez-vous les pépites que vous avez dans le nez ?

– Où sont les mines d'or ?

Les Indiens indiquent des directions au-delà de l'île, au large. Le sujet ne semble pas les intéresser. Ils offrent simplement tout ce qu'ils possèdent : des perroquets apprivoisés, des pelotes de coton et un peu d'or… Trop peu en fait, pas assez pour la gloire de l'Espagne. Ne trouvant ni mines d'or ni épices à San Salvador, Colomb et ses hommes partent découvrir les îles qu'ils voient vers le sud.

Le soir du 25 décembre, alors qu'ils longent une île que Colomb a baptisée *Hispaniola*, il se fait trop tard pour accoster. Après une longue journée, l'équipage est épuisé. Le barreur de la *Santa Maria* lutte contre le sommeil…

– Miguel, murmure-t-il, si tu ne dis rien à l'Amiral, je te confie le gouvernail. Tu es un bon mousse, non ? Tu tiens la barre comme ça, et tu ne changes pas de cap, d'accord ?

Miguel, flatté, accepte. Le barreur s'affale sur le pont près des autres dormeurs et s'endort aussitôt. Pas un souffle de vent. Le mousse garde le cap sans peine, mais les courants marins entraînent insidieusement le bateau sur un récif. Miguel tente de changer de direction, mais

suite page 36

LES INDIENS DES ANTILLES

Les Taïnos

Au cours de ses voyages, Colomb débarque chez ce peuple pacifique et accueillant des Grandes Antilles. Ces Indiens vivent nus au milieu d'animaux gentils, de fruits faciles à cueillir et de quelques plantations de maïs. Colomb a ainsi l'impression d'avoir abordé une terre paradisiaque.

Les Caraïbes

À l'inverse des Taïnos, ils forment un peuple guerrier. Ils avancent d'île en île, pourchassant les Taïnos. Ils réduisent en esclavage les enfants et les femmes, et ils tuent les hommes. Parfois même, ils les mangent. Ils vivent plutôt dans les Petites Antilles. Colomb ne les a pas rencontrés.

La navigation indienne

Les deux peuples se déplacent facilement d'île en île à l'aide de pirogues, appelées « canoas », taillées dans de gros troncs d'arbres. Ces embarcations permettent de parcourir à la rame les faibles distances qui séparent les îles des Antilles. Les plus grandes pirogues peuvent transporter une vingtaine d'hommes.

Une curieuse coutume

Les Indiens des Antilles ont une curieuse coutume qui fera malheureusement fureur dans le monde entier quand les explorateurs l'auront fait connaître : ils fument une plante séchée qu'ils nomment « tabac ».

Le choc de deux mondes

Entre les marins de Colomb et les Taïnos, la rencontre se passe bien. Les deux peuples sont curieux l'un de l'autre. Les marins se croyant au paradis tombent sous le charme des Indiennes. Mais peu à peu la relation dégénère. Les Européens se mettent à user de la contrainte pour posséder les femmes et le peu de richesses des îles. De plus, les maladies européennes se transmettent à la population indienne et la déciment.

le gouvernail ne répond plus. Le jeune garçon panique, appelle à l'aide… Trop tard, la *Santa Maria* s'échoue.

Colomb, réveillé en sursaut, reste étonnamment calme. Il donne des ordres pour tenter de sauver la cargaison. Les marins courent en tous sens, c'est la pagaille.

Guacanagari, le roi indien des environs, a entendu le tumulte au loin. Il envoie tous ses gens sur leurs canoës pour aider l'équipage à décharger le bateau.

Au clair de lune, les canoës vont et viennent une bonne partie de la nuit. Au petit jour, sur la plage d'Hispaniola, au milieu des marchandises épargnées, les Indiens pleurent devant la malchance de Colomb.

Le roi indien lui donne mille et une choses pour le consoler : parmi les présents, un superbe masque incrusté d'or. Colomb s'adresse alors à ses hommes :

– La *Santa Maria* est détruite, c'est triste. Mais c'est la volonté de Dieu. Il nous a fait échouer en ce lieu pour que nous nous y établissions. Nous allons donc bâtir un fortin avec l'épave du navire. Au travail !

Ainsi commence le chantier du fort de la Navidad*.

**Navidad : « Nativité » en français, en référence à la naissance du Christ.*

CHAPiTRE 5

TAÏNA

Diego et Miguel aident à la construction, tels de vrais apprentis charpentiers. Ils entonnent à tue-tête leurs chants de marins pour se donner du cœur à l'ouvrage, mais surtout pour amuser Taïna, une jolie Indienne aux yeux de jais. Elle doit avoir l'âge de Diego et rôde dans les parages pour apercevoir les deux mousses. En fin de journée, le joyeux trio se retrouve pour une balade ou une baignade.

Aujourd'hui, Taïna emmène les garçons chez elle. Sa maison est une sorte de tente recouverte de branches de palmier.

– Où dors-tu ? lui demande Diego en inclinant le visage contre ses mains jointes et en fermant les yeux.

Taïna comprend tout de suite le mime. Alors elle se glisse dans un filet de coton suspendu entre deux poutrelles, puis se balance en bâillant bruyamment.

– Amusant, ce lit ! rit Miguel.

Diego, lui, est subjugué par le perroquet rouge et bleu qui boitille sur la terrasse. Taïna l'appelle et hop, d'un coup d'ailes, voilà Youca sur son épaule. Le plus fascinant, c'est que le volatile parle. La même langue que Taïna. C'est étrange, un oiseau qui parle !

Après une baignade, ils dégustent des fruits à la forme étrange que Taïna nomme *anana*. Diego en boulotte à s'en rendre malade, il adore ça. D'ailleurs il adore tout de ce paradis : les Indiens, les oiseaux, la nourriture, et surtout la compagnie de Taïna et de Miguel.

Le départ approche pourtant. Un matin, Colomb convoque ses hommes et leur tient ce discours :

suite page 40

COLOMB, UN EXPLORATEUR ENTÊTÉ

Pour les Européens, Colomb est le découvreur du Nouveau Monde, l'Amérique. Le comble, c'est que lui ne l'a jamais admis !

Christophe l'aventurier

Né vers 1451 à Gênes, en Italie, une ville de marins, il est très tôt attiré par l'aventure. Il lit les voyages de l'explorateur vénitien Marco Polo, parvenu en Chine au XIIIe siècle en traversant l'Asie. Il devient marin et voyage en Méditerranée, le long de l'Afrique, et jusqu'en Islande. Installé au Portugal, il mûrit son projet, fou à l'époque, d'aller en Asie par l'ouest.

Un homme au rêve tenace

Durant sept ans, il tente de persuader les puissants de financer son expédition. Il essuie à plusieurs reprises les refus des souverains portugais et espagnols. Enfin, en 1492, la reine d'Espagne, Isabelle la Catholique, convaincue des possibles retombées de l'expédition, la finance. Elle accorde même à Colomb les privilèges qu'il exige : elle le fait amiral de la mer Océane, vice-roi et gouverneur des terres à découvrir.

Le monde pas très rond de Colomb

Au cours de ses quatre voyages, il n'aura de cesse de « tordre » la réalité de ses découvertes pour qu'elles correspondent à l'idée de son projet. Par exemple, il pense être dans l'archipel du Japon dans son premier voyage. Dans le dernier, alors qu'il touche l'Amérique centrale, il veut croire qu'il est le long de la côte du Vietnam actuel… Il se persuade donc que la Terre a la forme d'un ballon de rugby plutôt que d'une sphère pour faire coïncider les distances parcourues à sa géographie personnelle. Il plaque même des mots indiens sur des mots qu'il a lus dans les récits de voyages de Marco Polo.

Le destin d'un extraordinaire obstiné

Jusqu'à la fin de sa vie, en 1506, Colomb refuse de prendre conscience qu'il a découvert un autre monde : l'Amérique. Pour cette raison, le continent ne portera pas son nom. Un pays d'Amérique latine toutefois lui rend cet hommage, la Colombie.

– Il est temps pour nous de regagner l'Espagne, avec nos deux caravelles. Ceux qui ont accepté de rester ici ont pour mission de découvrir de l'or et des épices en grande quantité et d'attendre notre retour. J'ai décidé de ramener six Indiens pour les montrer aux rois d'Espagne. Embarquez les vivres et les cadeaux de nos hôtes, nous levons l'ancre après-demain !

Diego et Miguel baissent la tête, le départ sonne comme la fin d'une belle histoire. Taïna a compris, sa gorge se serre, ses yeux de jais s'embrument, et soudain la voilà qui détale de la plage comme un lièvre et s'enfonce derrière les grands arbres.

– Taïna, Taïna, reviens ! crie Diego.

Taïna s'est éclipsée.

La veille du départ, le roi Guacanagari organise une cérémonie sur la plage. Colomb lui offre une chemise brodée, que le roi enfile aussitôt avec solennité. Lui et Colomb échangent des signes d'amitié à n'en plus finir.

Tout le monde est réuni autour d'un grand festin, sauf Taïna. Diego et Miguel la cherchent du regard, le cœur lourd comme une ancre. En vain.

Le lendemain, aux aurores, Taïna apparaît enfin. Sans rien dire, elle donne à Miguel un hamac, le filet-lit si amusant, et à Diego elle tend Youca, le perroquet.

– Que fais-tu ? Je ne peux pas accepter ton perroquet…, s'étonne Diego.

Taïna sourit, Youca est déjà perché sur l'épaule de Diego.

Rodrigo les bouscule gentiment :

– Allez, moussaillons, on embarque.

– Adieu, murmure Taïna.

– Au revoir, Taïna, nous reviendrons avec l'Amiral, bientôt…

Le 4 janvier 1493, la *Pinta* et la *Niña* lèvent l'ancre avec leurs équipages, quelques Indiens, des perroquets, des vivres et un peu d'or. En bon navigateur, Christophe Colomb trouve la route du retour et les bons vents qui les ramènent en Europe.

Diego connaît bien maintenant son travail de mousse. Rodrigo ébouriffe de sa grosse paluche les cheveux du garçon et lui dit :

– Tu es devenu un sacré matelot, mon gars, je suis fier de toi.

Miguel sait enfin la chance qu'il a de servir l'Amiral et d'avoir de vrais amis. Il rêve de revenir à Hispaniola, surtout qu'en secret il est amoureux de Taïna.

Aux heures de pause, l'un se balance dans son hamac en rêvant à l'air doux et embaumé des îles, l'autre apprend l'espagnol à son perroquet. En une semaine, Youca répète déjà quelques mots.

Le 3 mars, après une énorme tempête, ils arrivent sains et saufs au Portugal. Quelques jours plus tard, c'est le retour glorieux de l'équipage en Espagne, à Palos.

Sur le quai du port, Luisa attend son héros de frère. Tandis que les caravelles sont en vue, un magnifique oiseau rouge et bleu vole vers elle, se pose sur son épaule et dit :

– Hola Luisa, te quiero mucho !*

* *En français : « Bonjour, Luisa, je t'aime beaucoup ! »*

1
2
3
4
5
6
E. Etienne

LE RETOUR EN ESPAGNE

À son retour en Europe, en mars 1493, Christophe Colomb est reçu en triomphe par les souverains espagnols.

1. Le roi Ferdinand d'Aragon et la reine isabelle de Castille forment le couple royal d'Espagne.

2. Les indiens Taïnos que Colomb a ramenés de son voyage créent la surprise à la cour. Tout le monde se presse pour voir ces hommes et ces femmes si étranges.

3. Des échantillons de plantes inconnues vont être étudiés par des savants. Parmi elles, on trouve le maïs, le haricot, l'ananas, le tabac. Plus tard, du Nouveau Monde, on rapportera aussi la tomate, la pomme de terre et le cacao…

4. Des perroquets ont aussi été rapportés.

5. L'Amiral Colomb fait miroiter aux rois d'Espagne d'importantes quantités d'or restant à recueillir chez les Taïnos pour justifier ses prochaines expéditions.

6. Les représentants de l'Église voient, dans les Indiens, un peuple à convertir au catholicisme.